Título original: Una fortunata catastrofe; *Traducción: Humply Dumpty. Publicado por Editorial Lumen, S.A., Ramón Miquel i
Planas, 10, 08034 Barcelona. Reservados los derechos de edición para todos los países de lengua castellana. Impreso en Grafos, S.A.
Arte sobre Papel, Paseo Carlos I, 157, Barcelona. Fecha de esta edición: 1989. © 1970, Contact Studio, Milano. ISBN 84-264-3515-8.
Depósito Legal B. 36549-1989. Printed in Spain.*

UNA FELIZ
CATASTROFE

Adela Turin
y Nella Bosnia

Editorial Lumen

Antes de la catástrofe, la familia Ratón
vivía en una modesta madriguera,
entre la cocina y la alacena, en una
lujosa casa de un barrio elegante.

El señor Ratón era un hermoso ratón
y estaba orgulloso de sus bigotes
y su buena voz. La señora Flora Ratón,
dócil y obediente, tenía la madriguera
ordenada, y a sus niños —Teddy y Toby—
y a sus niñas —Nancy, Nora, Nelly,
Nuri, Nanette y Nina— limpios y aseados.

Antes de la catástrofe, los días eran
aburridos en Casa Ratón, y terminaban
siempre con una cena suculenta, que
había tenido a la señora Ratón atareada
durante toda la tarde. El señor Ratón
era amante de la buena mesa.

Los niños admiraban sus bigotes
y lo listísimo que era, cuando, con aires
de importancia, probaba la sopa y decía:
"Flora, aquí falta un poco de perejil
picado, añadido en el último momento,
y un chorrito de aceite de nuez."

Después de la cena, el señor Ratón
les contaba a los niños sus aventuras de
juventud. Las pirámides en las que nunca
había entrado el hombre pero que eran
visitadas a diario por el señor Ratón.
Las bodegas de los barcos piratas,
en las que el señor Ratón había dado
varias veces la vuelta al mundo.
Y aquella vez en la mezquita de Estambul.
Y los primeros pasos por la luna escondido
en la bota del astronauta Armstrong.
Y aquella historia con el gato atigrado
en la Opera de París.

No era que la señora Flora se aburriese.
Ni mucho menos que conociera ya todas las historias
del señor Ratón (¡si cada noche había una nueva!).
Pero, cuando se hacía tarde, tenía que levantarse

de puntillas y empezar a recoger la mesa.
Y, si se caía la tapa de un puchero, el señor Ratón
se interrumpía con aire resignado, y los niños decían:
"¡Mamá, ten cuidado! ¡Está hablando papá!"

El señor Ratón era presidente honorario de la OPEDRAM (Oficina para el Desarme de Ratoneras a Muelle). La Opedram era una sociedad que no vendía nada, no compraba nada y no producía nada. Y, como los hombres habían inventado otras maneras para acabar con los ratones y nadie usaba ya ratoneras a muelle, desarmarlas no daba mucho trabajo.

Antes de la catástrofe, el señor Ratón
salía todas las mañanas hacia su oficina
nervioso y con prisas, porque decía
que estaba llegando tarde. (La oficina
estaba en una madriguera del segundo
piso de la casa.) Y todas las tardes,
antes de la catástrofe, volvía cansado
y preocupado. La señora Flora
le preguntaba "¿Cómo va el trabajo?",
y él respondía con un gruñido.
La verdad era que el señor Ratón
estaba cansado. Quería tranquilidad,
quería su periódico, sus zapatillas,
oír las noticias en la radio, quería orden,
calma, los niños quietos, un aperitivo,
un cigarrillo. Y la cena.

Y la vida seguía en Casa Ratón.
Por la noche, los niños soñaban en
las prodigiosas aventuras del señor Ratón,
y se dormían pensando
"mi papá es un tipo estupendo".

Pero entonces se produjo la catástrofe.
Lo inesperado. Lo indecible. Toda el agua del mundo
se metió en la madriguera. Se había roto una tubería,
y en unos segundos el hogar de la familia Ratón

quedó destruido y a la deriva.
Se asustaron muchísimo. Pero ¿dónde estaba papá?
Papá estaba en la Opedram. Y la señora Flora tuvo
que organizar sola el salvamento de los ocho niños.

Una hora después se habían refugiado
todos en el cajón de un viejo armario
arrinconado en el desván.
Y aquella misma noche habían
improvisado unas camas para los niños
y la sopa estaba puesta al fuego.

El señor Ratón llegó muy tarde. Había
encontrado la madriguera inundada.
Y había buscado a su familia por toda
la casa. Se había llevado un susto terrible.
Le habían guardado un poco de sopa
y se la comió en silencio. Aquella noche
nada de radio, nada de periódico,
nada de aperitivo y nada de zapatillas.

Y después la vida se volvió a organizar
dentro del cajón. Pero todo era distinto.
Como no tenía ni pucheros ni sartenes,
ni olla a presión ni spaguettis,
la señora Flora se dedicó a explorar
los alrededores en busca de una nueva
madriguera. Seguida de los niños, hacía
unas expediciones cada vez más largas.
Después se aventuró a salir del desván
y siguió explorando la casa.

Eran aventuras de verdad. Encontraban
perros y gatos, entraban y salían
de cestos y de cajas, subían y bajaban
escaleras, descubrían cartas viejas
y juguetes rotos, comían y bebían
lo que encontraban. De regreso en el cajón,
los niños comentaban excitadísimos
las aventuras de la jornada.
Se estaban divirtiendo como nunca.

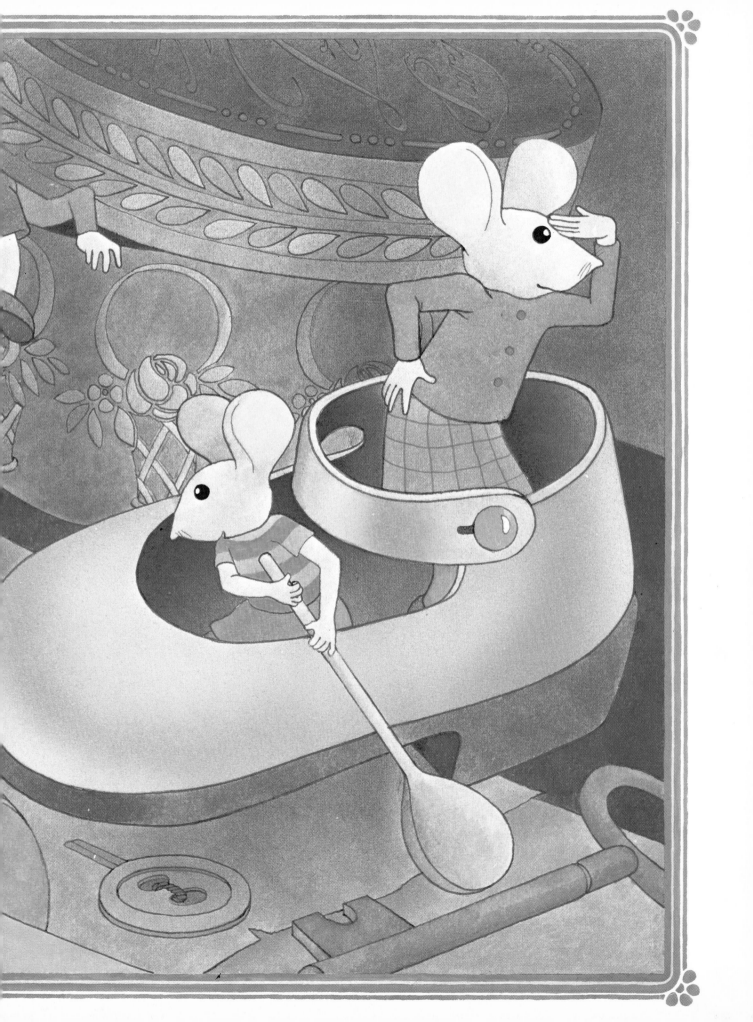

En un cesto lleno de juguetes habían
encontrado una guitarra y la llevaron
al cajón. La señora Flora compró
inmediatamente el "Manual del guitarrista
moderno", y en tres días Nuri y Nelly
aprendieron a tocar bastante bien
la guitarra. Toby y Teddy descubrieron
que tenían buena voz.
Y del cajón empezaron a salir los ecos
de conciertos y canciones.

A la vuelta de la Opedram, el señor Ratón
encontraba a sus hijos tan excitados
que renunció a que se estuvieran quietos.
Renunció también a la radio, porque ahora
las canciones y la guitarra sonaban fuerte,
y renunció a las zapatillas, que se habían
perdido en la catástrofe.
Pero no quería renunciar a la buena sopa.
Y puso manos a la obra.

Hizo pruebas y más pruebas, y tardó
en conseguir que le saliera como
a la señora Flora. Pero, cuando lo logró,
fue todo un éxito. Y a partir de entonces
el señor Ratón hablaba y no paraba
sobre sus proezas culinarias.
Y los niños mayores movían sonriendo
la cabeza y murmuraban: "¡El bueno
de papá, siempre con sus historias!"